∞

Eu, _____, dedico este
livro a _____.
A mente humana é como um grande teatro.
Seu lugar não é na platéia, mas no palco,
brilhando na sua inteligência,
alegrando-se com suas vitórias,
aprendendo com suas derrotas
e treinando a cada dia para ser...

o autor da sua história,
o líder de si mesmo.

Seja líder de si mesmo

O MAIOR DESAFIO
DO SER HUMANO

AUGUSTO CURY

SEXTANTE

Copyright © Augusto Jorge Cury 2004

preparo de originais
Regina da Veiga Pereira
revisão
Clara Diament
Sérgio Bellinello Soares
projeto gráfico e diagramação
Valéria Teixeira
capa
Raul Fernandes
impressão e acabamento
Cromosete Gráfica e Editora Ltda.

CIP-BRASIL. CATALOGAÇÃO-NA-FONTE
SINDICATO NACIONAL DOS EDITORES DE LIVROS, RJ.

c988s	Cury, Augusto Jorge, 1958- Seja líder de si mesmo / Augusto Jorge Cury. – Rio de Janeiro: Sextante, 2004. ISBN 85-7542-121-2 1. Autoconsciência. 2. Autodomínio. 3. Auto-realização (Psicologia). 4. Liderança. I. Título.	
04-0866	CDD 158.1 CDU 159.947

Todos os direitos reservados, no Brasil, por
GMT Editores Ltda.
Rua Voluntários da Pátria, 45 – 14.º andar – Botafogo
22270-000 – Rio de Janeiro – RJ
Tel.: (21) 2538-4100
E-mail: atendimento@sextante.com.br
www.sextante.com.br

SUMÁRIO

Prefácio		*7*
CAPÍTULO 1	A última fronteira da ciência: descobrir quem somos	*9*
CAPÍTULO 2	Não fomos treinados para sermos líderes de nós mesmos	*19*
CAPÍTULO 3	Penetrando na mente humana: a figura do teatro	*33*
CAPÍTULO 4	O outro lado da história	*45*
CAPÍTULO 5	Entrar no palco ou ficar na platéia: eis a questão!	*59*
CAPÍTULO 6	Compreendendo o teatro da mente humana	*69*
CAPÍTULO 7	Os três atores coadjuvantes do teatro da mente	*79*
CAPÍTULO 8	Técnicas psicológicas para ser líder de si mesmo	*97*
Considerações finais		*119*
Bibliografia		*128*

PREFÁCIO

Se compararmos a mente humana com o mais belo e fascinante teatro, onde se encontra a maioria dos jovens e adultos? No palco dirigindo a peça, ou na platéia sendo espectador passivo dos seus conflitos, perdas, decepções, culpas? Onde você se encontra?

Todo ator ou atriz deseja o papel principal. Mas será que somos, fomos e estamos preparados para nos tornarmos atores principais do teatro das nossas mentes?

Somos treinados para dirigir um carro, uma empresa, exercer uma profissão. Mas somos treinados para governar nossos pensamentos? Aprendemos quais são as ferramentas necessárias para administrar nossas emoções? Não!

Somos preparados para sermos platéia, e não líderes do nosso mundo psíquico. Os pensamentos nos dominam, as emoções nos controlam. A ciência e a educação nos preparam para explorarmos o mundo externo, mas não para explorarmos o território do nosso ser.

Muitos falam com o mundo via Internet, mas o estranho é que nunca falaram profundamente consigo mesmos. Dominamos tecnologia para viajarmos para os planetas, mas não para conquistarmos o espaço onde nascem a timidez, a ansiedade, o medo, a coragem, as frustrações, o mau humor, a angústia, os sonhos, o encanto pela vida.

Neste livro, gostaria de compartilhar com vocês as respostas que encontrei como psiquiatra e pesquisador da psicologia para as perguntas sobre o teatro da mente humana. Elas expandiram minha compreensão da vida. Espero que expandam a sua.

Muitos jovens e adultos são prisioneiros em sociedades livres. É mais cômodo ficar na platéia, mas precisamos subir no palco e sermos os atores principais da nossa própria história.

Desejo que este pequeno livro seja um grande roteiro no teatro da sua vida. Saia da platéia! Entre no palco. Seja líder de si mesmo...

Augusto Cury
Canadá, inverno, 2004

CAPÍTULO 1

❦

A ÚLTIMA FRONTEIRA DA CIÊNCIA: DESCOBRIR QUEM SOMOS

Quem discrimina os outros os diminui, quem supervaloriza os outros diminui a si mesmo...

A vida humana é belíssima, mas brevíssima. Tão breve como as gotas de orvalho que aparecem na calada da noite, cintilam ao amanhecer e se dissipam ao calor do sol. Cada um de nós vive num pequeno parêntese do tempo. Envolvemo-nos em tantas atividades sociais que não percebemos o mistério que cerca a existência.

A infância e a velhice parecem tão distantes, mas são tão próximas. Num instante parecemos eternos, no outro, uma página na história. Por ser tão breve a vida, deveríamos vivê-la com sabedoria para sermos cada vez mais pais, educadores e profissionais inteligentes, jovens mais sábios, amigos mais afetivos.

Muitos vivem apenas porque estão vivos. Vivem sem objetivos, sem metas, sem ideais, sem sonhos. Não sabem como lidar com sua fragilidade e suas lágrimas. Foram preparados para vencer, por isso não sabem o que fazer quando tombam pelo caminho ou perdem a direção.

Sabem lidar com os aplausos, mas desesperam-se diante das vaias. Andam com segurança quando tudo dá certo, mas recuam quando não vêem o horizonte. Recebem diplomas na escola, lidam com informações objetivas, mas não sabem ousar, criar, correr riscos calculados e cultivar o que amam.

Você já procurou esquecer tudo ao seu redor e olhar para dentro de si? Você já se deixou fascinar pela vida que pulsa no cerne da sua alma ou psique? Eu estudo a mente humana há anos, e cada vez mais sinto que a ciência sabe muito pouco sobre quem somos. Ter capacidade de pensar e se emocionar são fenômenos difíceis de entender.

A última fronteira da ciência é saber quem somos. É desvendar a natureza da energia psíquica e os segredos da nossa inteligência. Até para ler este livro, você, sem perceber, usa fenômenos psíquicos fascinantes. Você admira o espetáculo das idéias criado em sua mente? Até nossos pensamentos tolos são fantásticos.

*N*ossa espécie tem consciência da grandeza da inteligência de cada ser humano? Pouquíssima! Quando vejo os jovens correndo freneticamente atrás de alguns cantores ou atores sinto mal-estar. Eu me pergunto: que sociedade é essa em que alguns são colocados no palco e a maioria na platéia?

Que sociedade é essa em que alguns são supervalorizados e a maioria é relegada ao rol dos anônimos? Por que os jovens não correm atrás dos seus pais, professores e amigos para descobrirem o fascinante mundo deles? Muitos podem não ter fama e status social, mas para a ciência todos somos igualmente complexos e dignos.

É uma atitude irracional valorizarmos alguns artistas de Hollywood e não valorizarmos na mesma dimensão nossa indecifrável capacidade de pensar. Afinal de contas, todos somos grandes artistas no teatro da vida. Toda vez que confecciona uma idéia você é um grande artista. Você crê nisso?

A rainha da Inglaterra não tem mais valor e nem mais complexidade intelectual do que um mendigo nas ruas de uma cidade. Pareça ou não absurda, esta é uma verdade científica. Um cientista da NASA não tem mais segredos psíquicos do que um miserável faminto do Terceiro Mundo.

Supervalorizar uma minoria de intelectuais, artistas, políticos e empresários pode ser tão traumático quanto discriminar. *Quando discriminamos os outros, nós os diminuímos. Quando os supervalorizamos, diminuímos a nós mesmos.* Respeitar e tomar algumas pessoas como modelo é saudável. Superdimensioná-las é doentio, bloqueia nossa inteligência e liberdade.

Por investigar o tecido íntimo da inteligência humana, estou convicto de que cada ser humano tem uma história magnífica, uma mente fantástica e um potencial intelectual grandioso, mas freqüentemente represado. Podemos e devemos ser autores da nossa história.

A teoria de Darwin explica alguns fenômenos biológicos, mas é simplista para explicar o campo de energia psíquica. Mesmo com o respaldo da genética, ela é superficial para explicar a formação da consciência e de como os pensamentos se organizam, vivem o caos e se reorganizam. Você sabia que pensar não é uma opção do *Homo sapiens*, sabia que **pensar é inevitável?**

Ninguém consegue interromper a construção de pensamentos, só liderá-la. O maior desafio do ser humano é dominar seu mundo intelectual. Para mim, a complexidade da mente humana revela que ela é obra-prima de um Criador fascinante.

E a emoção? Quem pode entendê-la ou controlá-la plenamente? Os generais ficam pequenos diante dela, os ditadores e os psicopatas são seus escravos. Escravos? Sim! Escravos do seu ódio, arrogância, insensibilidade.

Há muitos miseráveis no território da emoção andando em carros luxuosos, usando jóias caras, roupas de marca e saindo nas colunas sociais. Os verdadeiramente ricos fazem muito do pouco, extraem prazer das coisas simples. Os ricos não são os que têm posses, mas os que alargam as fronteiras da sua emoção e têm autocontrole. Mas é possível ter pleno autocontrole?

Não! Nenhum ser humano domina plenamente sua emoção. Desista de ser uma pessoa perfeitamente equilibrada. A energia emocional é sempre flutuante, mas não deve haver exagero.

Uma emoção doente é instável, mal-humorada, negativista, desprotegida, ansiosa. Qualquer problema a invade e fere. Uma emoção saudável é estável, motivada, protegida, alegre, tranqüila e capaz de superar os inevitáveis períodos de ansiedade.

Seu maior desafio é cuidar e liderar seu próprio ser. O território dos pensamentos e da sua emoção é seu tesouro. Se quiser viver dias felizes, cuide dele mais do que de seus bens.

CAPÍTULO 2

NÃO FOMOS TREINADOS PARA SERMOS LÍDERES DE NÓS MESMOS

*Ninguém pode brilhar no palco
do mundo se não brilhar no palco
da sua inteligência.*

As palavras deste livro gritam para mostrar que cada ser humano possui uma grande história. Nessa história ele deve ser o ator principal e o autor do roteiro da sua vida. A primeira grande lição para quem deseja ser líder é aprender a ser humilde para entender a grandeza da vida.

Apesar de a mente humana ser de indescritível esplendor, ela adquire conflitos com facilidade: complexo de inferioridade, timidez, fobias (medos), depressão, obsessão, pânico, doenças psicossomáticas, rigidez, perfeccionismo, insegurança, preocupação excessiva com o futuro e com a imagem social.

Ser ator principal no palco da vida não significa não falhar, não chorar, deixar de tropeçar, ter reações de insegurança ou, às vezes, atitudes tolas. Ser ator principal significa refazer caminhos, reconhecer erros e aprender a deixar de ser aprisionado pelos pensamentos e emoções doentias.

Este livro não foi escrito para gigantes, mas para os que sabem que não são super-heróis. Gostaria de destacar que, ao contrário do que parece, os agressivos, os intolerantes e os arrogantes são os mais frágeis no teatro da vida. Eles têm medo de subir no palco, perdoar os outros, se perdoar, chorar, reconhecer suas falhas e limitações. São infelizes.

Ninguém se constrói sozinho. Somos construídos e construtores da nossa personalidade. Somos construídos pela carga genética, pelo sistema social, pelo ambiente educacional e pela atuação do *eu*. Falarei muito do *eu* neste livro. O que ele representa? O *eu* representa nossa identidade e capacidade de decidir.

Ser autor da nossa história é ter um *eu* consciente, livre e líder. O *eu* tem de ser treinado para ter um papel líder na construção da nossa personalidade. Se não aprendermos a ser líderes, o que ocorrerá? Poderemos ser vítimas do ambiente, dos nossos conflitos e da carga genética.

Quando isso acontece, os que têm pais deprimidos poderão ser deprimidos. Os que foram traumatizados na infância serão adultos frustrados. Os obsessivos e os fóbicos não construirão um oásis na sua emoção. Os que fracassaram não construirão vitórias. Os ansiosos, irritados, impulsivos e tímidos perpetuarão essas características.

Felizmente *podemos ser autores da nossa história*, mudar o curso das nossas vidas. Por isso, veremos aqui que podemos resgatar a liderança do *eu*, reeditar o filme do inconsciente e construir janelas paralelas na memória. Sim! Podemos superar as feridas psíquicas e construir uma história inteligente.

Uma pergunta fundamental: é fácil dirigir nossa história? Não! Mostrarei que é mais fácil ser controlado por nossa emoção do que controlá-la, protegê-la, expandi-la.

Muitos jovens fracassam porque não sabem dar um choque de lucidez na sua emoção. Muitos adultos bloqueiam seu potencial intelectual porque são aprisionados pelos pensamentos construídos sem autorização do *eu*.

Você sabia que muitos dos pensamentos que o perturbam foram produzidos por fenômenos inconscientes e não por sua vontade consciente? O que você faz com esses pensamentos? Eis a Grande Questão!

É incrível como somos passivos. Crianças, jovens e adultos vivem seus pensamentos sem saber que podem criticá-los e confrontá-los. Aceitam seus pensamentos, deixando preocupações, baixa auto-estima, doenças e medos sufocarem sua emoção, e simplesmente não fazem nada. A educação mundial falhou gravemente. Fomos treinados para atuar no mundo exterior e não no interior.

Para ilustrar nossa inércia e fragilidade nessa área contarei uma história. Imagine que você está tranqüilo na sala de sua casa e subitamente um ladrão enorme, musculoso e com uma aparência violenta arromba a porta. Você se assusta e se desespera.

O ladrão vai em sua direção, o ameaça e o espanca. Grita aos seus ouvidos querendo saber onde está o cofre. Você começa a sangrar, cai no chão e fica debaixo da mesa. Ele começa a chutá-lo. De repente, você faz uma grande descoberta.

Descobre que a arma que ele usa é falsa, que seus músculos enormes são enchimentos de espuma e seu corpo é franzino comparado ao seu. O que você faria? Ficaria debaixo da mesa? Deixaria que ele o ferisse impiedosamente? Permitiria que roubasse o que você tem de mais precioso? A maioria das pessoas reagiria se o ladrão fosse real, mas não reage quando o ladrão é psíquico. Deixe-me explicar.

Todos reagiriam se o ladrão fosse externo, estivesse fora deles. Mas quantos reagiriam se o ladrão fosse interno, estivesse na sua mente, tal como seus pensamentos negativos, pânico, culpa, timidez, angústias, reações impulsivas?

A maioria não reage ao ver sua preciosa tranqüilidade e segurança espancadas, roubadas, machucadas. Tem um *eu* tímido e frágil. Infelizmente, aprendemos a ser submissos em nossa mente. Milhões de crianças e adultos adoecem psiquicamente por causa disso.

Se os ensinamentos deste livro estivessem na pauta das escolas, creio que muitos psiquiatras iriam tornar-se poetas e músicos. Não teriam pacientes. *Você se considera uma pessoa submissa ou um líder?*

Jamais deveríamos ser submissos diante dos entulhos psíquicos que se acumulam no solo psíquico. Jamais deveríamos aceitar sermos dominados por qualquer conflito emocional e qualquer característica de personalidade que afeta nossa qualidade de vida e destrói tudo que amamos. Precisamos reagir!

É paradoxal. O ser humano tem tecnologia para destruir montanhas, mas tropeça nas pedras do seu medo e mau humor. O ser humano é capaz de dirigir um veículo mil vezes mais pesado do que ele, mas não sabe controlar a ansiedade que destrói sua paz e prazer de viver.

Devemos respeitar as pessoas mais velhas, as regras sociais e os direitos humanos. Mas não devemos respeitar os pensamentos e as emoções que assaltam nossa personalidade. A sociedade produz pessoas passivas, todavia não devemos abrir mão do direito fundamental de sermos livres dentro de nós mesmos.

Você tem o direito de ser o autor da sua própria história. Você deve equipar seu *eu* para ser o ator principal do teatro da sua mente. Caso contrário, como veremos, as perdas e frustrações que o dominam não irão embora depois de saírem de cena. Para onde irão?

Irão para o inconsciente, para os bastidores do teatro, e farão parte da sua personalidade. Muitos pais e professores deixam de brilhar porque, pouco a pouco, se tornam submissos à sua própria impaciência, não aprendem a ter autocontrole para encantar e surpreender os jovens.

Muitos jovens são submissos à sua insatisfação. Não suportam críticas e perdas. Quando colocam uma idéia negativa na cabeça, esta os escraviza. Precisam ser treinados para ter proteção emocional, virar a mesa na sua mente e escrever sua própria história. Este livro objetiva contribuir para esse treinamento.

E os profissionais graduados? Eles têm um comportamento diferente no anfiteatro dos seus pensamentos? Os empregados mais simples e os executivos dos mais altos níveis têm dificuldades semelhantes para ser líderes do seu mundo psíquico. Foram treinados para trabalhar exteriormente, mas não para ter um papel de destaque em seu interior.

Por isso, muitos não tomam sólidas atitudes quando o ambiente de trabalho se tornou um canteiro de ansiedade, os sonhos se evaporaram, o desânimo brotou e a insegurança criou raízes. Estão sempre cansados, não suportam cobranças, desafios e críticas.

O que fazer quando estamos perdendo o que mais amamos? Alguns ficam paralisados, outros recuam. O que você faria? Reconquistaria quem mais ama? Lutaria pelos seus ideais? Romperia o cárcere do medo? Correria riscos ou ficaria na platéia esperando um milagre?

Insisto em repetir: somos treinados para sermos espectadores e não atores principais. Mas, se reagirmos, a vida se tornará um espetáculo maravilhoso. Para ilustrar melhor esse assunto crucial, contarei uma história em que você é o personagem central. Por favor, identifique-se apenas com as características que você possui. O personagem que descrevo poderia ser eu ou qualquer outra pessoa.

CAPÍTULO 3

○○

PENETRANDO NA MENTE HUMANA: A FIGURA DO TEATRO

Ninguém pode conquistar o mundo de fora se não aprender a conquistar o mundo de dentro...

Certa vez, você passeava tranqüilamente pelas avenidas da vida. De repente, resolveu entrar num teatro. Ficou fascinado com sua beleza e arquitetura. O público, pouco a pouco, o lotou. Todos estavam ansiosos para ver a peça. Você também, mas não sabia quem a escrevera, qual era o seu conteúdo e nem quem eram os atores.

Não imaginava que algo excepcional o aguardava. Você iria assistir à peça mais importante da sua vida. Seus olhos ficariam vidrados. Sua inteligência, perplexa. Nunca um teatro tinha escondido tantos segredos!

De repente, as cortinas se abriram, seu coração palpitou. Os atores eram de primeiro time. A peça logo de início o cativou. O ator principal representava a biografia de um personagem magnífico. Era inteligente, sutil, fino, corajoso. Você se encantou com o personagem e com o desempenho do ator principal.

A peça continuou. O personagem tornou-se mais atraente. Mostrava gentileza com as crianças, amabilidade com os idosos e sensibilidade com os amigos. Contemplava flores, tinha tempo para as pequenas coisas. Elogiava as pessoas, brincava com todos, sorria até das próprias tolices.

O público delirava com o personagem. Você suspirava, identificava-se com ele. Queria aplaudi-lo, mas se continha. Aos poucos, áreas mais profundas da biografia dele eram reveladas. Perdoava as pessoas, as encorajava e lhes dava sempre novas oportunidades.

Mais ainda. Era capaz de se colocar no lugar dos outros e perceber seus sentimentos e necessidades ocultos. Os amigos amavam estar na sua presença, os parentes gostavam de colocá-lo no centro das atenções. Ao mesmo tempo em que era afetivo e sensível, vivia a vida com aventura, era ousado, tinha grandes metas e grandes sonhos.

Esse personagem era tudo que você sempre quis ser. Você se apaixonou por ele. Por isso, num golpe de coragem, ficou de pé e o aplaudiu calorosamente. Todos o acompanharam. O teatro vibrou. O ator principal ficou deslumbrado.

De repente, uma surpresa. Enquanto os aplausos cessavam, duas pessoas entraram no palco, interrompendo subitamente a peça. Desenrolaram uma faixa na frente dos atores. Você ficou pasmado! A faixa revelava o nome do personagem cuja biografia estava sendo encenada. Talvez estivessem homenageando uma pessoa importante do passado, você refletiu. Mas se surpreendeu...

Ao desenrolarem a faixa, você quase desmaiou na cadeira. Na faixa constava seu nome! Assombrado, esfregou os olhos e beliscou os braços para verificar se não estava sonhando. *Não é possível!*, você dizia. Nesse momento, o público inteiro se levantou, o focalizou e o aplaudiu prolongadamente.

No palco, os atores também o ovacionaram. Você não sabia o que fazer. Sua emoção estava arrebatada, não conseguia reagir diante de tanta alegria. Então, descobriu que, quando se apaixonara pelo personagem, você se apaixonara por si mesmo. Não sabia que tinha uma auto-estima tão borbulhante. Você chorou...

Você não tinha consciência de que era uma pessoa tão atraente, animada, cativante, segura, singela, serena, dócil e interiormente bonita. Ao ver a peça, descobriu características belíssimas de sua personalidade. Você ficava tão bem no palco. Parecia um grande artista.

Passado o êxtase, você ficou de pé, deu largos sorrisos para a platéia e distribuiu muitos acenos. De repente, outra grande surpresa. Ao percorrer a platéia com os olhos, descobre que ela é constituída por pessoas que passaram pela sua vida. Você não sabia se ria ou se chorava. Jamais pensou que viveria uma emoção tão grande.

Lá estavam seus amigos de infância. Que saudades! Quantas brincadeiras. Como a vida era suave e bela. Você marcou a vida deles, por isso eles estavam lá o prestigiando e torcendo por você. Mas infelizmente você raramente os visitou ou deu um telefonema para eles.

Na platéia também estavam os queridos professores. Alguns ensinaram você a pegar no lápis, outros a entender os números e ainda outros a não temer a vida. Seus colegas de trabalho mais íntimos também estavam lá. E você pensava que eles não se importavam com você. Por isso, não entrava no mundo deles e desconhecia suas dificuldades.

Os amigos recentes também estavam presentes. Sentiam orgulho de você. Para eles, você reluzia no palco e de fato merecia ser aplaudido. Lá se encontravam ainda todos os membros da sua família, dos mais íntimos aos mais distantes. Todos acreditavam em você, o amavam profundamente.

Você nunca imaginou que era tão especial e querido. Sentiu-se a pessoa mais realizada e importante do mundo. Sentiu que era valorizado como ser humano, e não por seu dinheiro ou sucesso. Então, você abaixou a cabeça e agradeceu a todos. O palco era seu. O teatro se tornou sua casa.

Neste momento, alguém lhe passou um microfone. Todos silenciaram. Esperavam suas palavras. Emocionado e sincero, você disse que não entendia o que estava acontecendo, tudo parecia um sonho maravilhoso. Agradeceu a homenagem e disse humildemente que não merecia tanto carinho. Mais aplausos, mais lágrimas.

Você agradeceu aos atores. Fixou os olhos no ator principal, sentiu que tinha algo em comum com ele. Disse-lhe: "Muito obrigado, você é demais!" E falou para a platéia: *"Construí amigos, enfrentei derrotas, venci obstáculos, bati na porta da vida e disse-lhe: não tenho medo de vivê-la!"*

As pessoas admiraram suas palavras. Você finalizou seu breve discurso com uma bela poesia: *"Aprendi o caminho da singeleza, encontrei a morada da segurança, escalei os penhascos da coragem e procurei beber da fonte onde jorra a sensibilidade."*

As pessoas se convenceram de que estavam diante de um sábio, um poeta da vida. Então, você olhou para o infinito e falou algo para si mesmo: *A vida é um grande espetáculo. Vale a pena vivê-la, apesar de todas as suas dificuldades. Um vencedor não pode estar na platéia. Tem de estar no controle de sua vida!*

Espere! A peça ainda não terminou.

CAPÍTULO 4

∞

O OUTRO LADO
DA HISTÓRIA

*Muitos, nos momentos mais difíceis
da sua vida, descem do palco e
se tornam espectadores das suas
misérias emocionais.*

Após esses momentos de indizível felicidade, você sentou na poltrona e relaxou. Ia começar a segunda parte da sua história. Esperava que você e a platéia ainda assistissem a seus comportamentos maravilhosos, sua magnífica inteligência, suas românticas emoções.

No início da apresentação, algo inesperado aconteceu. O ator principal abandonou o palco, veio para a platéia e sentou-se ao seu lado. Você apertou suas mãos e sentiu-se honrado. O teatro estava à meia-luz. Ao olhar para o ator, você piscou os olhos tentando enxergá-lo melhor, pois sentia que ele lembrava alguém conhecido.

Você se esqueceu que qualquer história, tanto a minha como a sua, tem vales e montanhas, coragem e timidez, conquistas e decepções, sanidade e loucura. Você começou a ver agora o outro lado da sua personalidade. É ótimo ouvir os aplausos, mas é dramático ouvir as vaias.

Os atores coadjuvantes e até os figurantes dominaram o palco. Começaram a representar um personagem intolerante, que ficava irritado por tolices, perdia a paciência com facilidade. Você olhou de lado, deu uma risada forçada e fez um gesto com as mãos abertas pedindo compreensão. Afinal de contas, todo mundo erra.

A peça continuou, e você começou a suar. Na primeira parte seu personagem era tão tranqüilo e sereno, na segunda levantava a voz desnecessariamente. Perdeu seu bom humor, machucava as pessoas que mais amava. Não dava mais risadas das próprias tolices, não brincava, não elogiava as pessoas.

Os atores encenavam você sendo capaz de sofrer horas e horas por um problema que não acontecera ou que você mesmo criara. Um ator coadjuvante teve a ousadia de pegar uma grande lata, ir para o centro do palco e escrever nela diante da platéia: SUA EMOÇÃO É UMA LATA DE LIXO!

Você engoliu em seco. Remexeu-se na poltrona. Queria protestar, mas sua consciência o acusava. Teve de admitir que levava problemas para a cama. Sofria por antecipação. Uma ofensa gerava um turbilhão de idéias perturbadoras. Foi obrigado a reconhecer que escolhia os alimentos que digeria, mas não aqueles de que sua emoção se nutria.

Assumiu que se preocupava com a segurança do carro, da casa, mas nunca tinha feito um seguro emocional, nunca tinha pensado que deveria proteger e acariciar a sua própria emoção. Você se punia, não admitia seus erros, se culpava, reclamava muito, agradecia pouco. Era seu próprio carrasco.

As vaias começaram a surgir. A platéia, inconformada, gritava para você: *Onde está a pessoa apaixonada pela própria vida! Por que você leva a vida tão a sério? Onde estão os seus sorrisos?* Essas perguntas ecoavam na sua alma, cortavam o seu coração. Sua vida deixou de ser um sonho e tornou-se um pesadelo.

Você afundou na cadeira, franziu a testa e começou a achar que esse teatro não era o melhor lugar para estar. Mas o que fazer? Essa era a sua história. Fugir do teatro era fugir de si mesmo. Mas, em vez de assumir seus erros, ficou irritado com o ator principal: *Minha história era tão bela quando ele estava no palco!*

Os atores continuavam a dissecar sua biografia. Mostravam que você não tinha mais tempo para os amigos, nem para si mesmo, não convidava ninguém para jantar. Você engolia sua comida, fazia tudo rápido, tornara-se uma máquina de atividades. Já não cativava seus colegas de trabalho.

Não amava mais os desafios, não era mais criativo, determinado, idealista. Sua história perdera o brilho. Vivia ansioso, distraído, não se concentrava, seus pensamentos estavam acelerados, e ainda por cima reclamava que se sentia sempre cansado e esquecido. Não acordava e agradecia a Deus pelo espetáculo da vida.

Sua história começou a ficar mais sombria. O medo começou a ganhar o palco: medo do amanhã, de falhar, de ser derrotado, de ter sua imagem social diminuída. Não conseguia ser livre, se preocupava demais com a opinião dos outros. A platéia, pasmada, olhou para você, esperando que reagisse.

Algumas pessoas mais próximas imploravam para você subir no palco e mudar o roteiro da sua história. Mas você, inseguro, se perguntava: *Eu? Reagir? Entrar no palco? Nunca fui um ator! Como farei isso?* Nunca foi tão difícil mudar uma história. Você tinha sido bom para os outros, mas não sabia cuidar com carinho de si mesmo.

Você olhou para o ator principal e fez um gesto para ele entrar no palco. Ele ficou mudo. Então, você começou a falar baixinho: *"Frágil! Inseguro! Vai para o palco, assume seu papel! Tome uma atitude!"* Você projetou nele sua raiva, como se ele fosse culpado pelos seus vexames, suas atitudes incoerentes, sua falta de tolerância.

Olhou em torno tentando procurar outros culpados. Culpou seus íntimos, a incompreensão das pessoas, a economia do país. Mas, no fundo, você sabia que seus argumentos eram desculpas. Você sabia que se tornara submisso às suas decepções e problemas emocionais e sociais. Projetava nos outros suas falhas.

As vaias aumentaram. Numa atitude desesperada, você pensou em criticar abertamente o ator principal para que ele tomasse uma atitude. Queria gritar: *"Esse ator é omisso, não me defende, não me valoriza!"* Entretanto, quando olhou para a poltrona dele, ela estava vazia. Intrigado, você se perguntava: "Por que ele desapareceu?" Sua solidão expandiu-se.

Eis outra surpresa. Subitamente você olhou para seu corpo e percebeu que estava com os trajes do ator principal. *O que significa isso? Estou numa armadilha?* Mais perguntas, nenhuma resposta. De repente, surgiu um grande insight, uma percepção interior. Abriram-se as janelas da sua inteligência...

Perplexo, você descobriu afinal que nunca existira um ator principal. Você era esse ator. Percebeu que na primeira parte da peça você tinha sido um personagem brilhante, seguro, marcante, sensível, líder de si mesmo. Tinha sido um excelente autor da sua história, escrevera nas páginas da sua memória a sua peça. Dirigira com maestria a sua vida.

Na segunda parte, você tinha deixado o palco, se auto-abandonara, tornara-se um espectador passivo. Então, entendeu que nesses momentos os atores coadjuvantes, representados pelos seus conflitos, traumas, pensamentos negativos e emoções tensas, o controlaram e o dominaram.

*I*nfelizmente, você deixou de ser o ator principal nos momentos em que mais precisava. Foi uma triste, mas importante, descoberta. Percebeu que toda vez que estava ansioso, irritado, frustrado, impaciente, você não conseguia administrar sua emoção. Sua capacidade de raciocinar ficava bloqueada, e por isso você ia para e platéia. Comportava-se como um espectador da sua vida, não a dirigia.

Compreendeu que isso ocorre com todo ser humano. Quando temos reações estúpidas, impensadas e sem compaixão, estamos sendo manipulados pelas dificuldades externas e internas. Reconheceu, assim, que os *fracos culpam e agridem*, mas os *fortes são tolerantes e amáveis*.

Você tinha prometido a si mesmo que seria mais tranqüilo, não levaria problemas para casa, teria mais sonhos, veria mais flores, abraçaria mais, faria da vida uma festa. Mas não cumpriu suas promessas. Por isso, concluiu que não podia culpar ninguém por suas falhas. Tinha de assumi-las com honestidade.

Também concluiu que não adiantava se remoer de culpa, tinha de compreender as suas limitações e aprender a corrigir suas rotas. Mas como fazer isto? Será que não é melhor ficar na platéia do que falhar no palco? Será que vale a pena correr riscos? Você tinha adiado muitas decisões na sua vida. Chegara a hora de decidir! Mas que atitudes tomar?

CAPÍTULO 5

☙

ENTRAR NO PALCO OU FICAR NA PLATÉIA: EIS A QUESTÃO!

No teatro da nossa mente nossa meta é ser o ator principal. Ficar na platéia é abandonar a si mesmo...

*A*pós esses belos momentos de reflexão, você olhou para a platéia e ficou mais uma vez chocado. O teatro estava vazio. Intrigado, você se bombardeou de perguntas. *Onde estão as pessoas que eu amo? Todas me abandonaram no momento em que mais preciso delas?* Gostaria de abraçar um amigo, chorar junto, pedir seu apoio, mas as poltronas estão vazias.

Você se desesperou, sentiu-se sem chão. Mas em seguida teve outro insight maravilhoso, outra percepção profunda. Num piscar de olhos compreendeu o quebra-cabeça em que tinha se envolvido. Enxergou, afinal, que não havia um teatro físico. O teatro em que estava era o ambiente da sua própria mente.

As pessoas nunca estiveram presentes fisicamente na platéia. Elas estavam todas na sua memória. Vieram à tona porque você fez um mergulho em seu inconsciente, porque viajou pelas avenidas do seu ser. Nessa viagem, conheceu seus jardins e seus desertos. Viveu uma fantástica experiência de se encontrar consigo mesmo. Muitos nunca se encontram.

A peça teatral tornou-se o espelho da sua história. Sentiu que seu maior desafio era liderar sua vida, mas você se auto-abandonava. Necessitava modificar sua história, mas sentia-se impotente. Você entendeu que empurrava a vida. Percebeu que não fazia escolhas, que adiava decisões, não exercia seu livre-arbítrio...

Teria de resgatar sua garra e voltar a fazer da vida uma grande aventura. Teria de implodir o tédio, a rotina, a mesmice. Precisaria dar mais atenção a seus amigos, amar mais seus íntimos, ter novos começos. Precisaria elogiar mais e criticar menos, agradecer mais e reclamar menos, viver mais suavemente e cobrar menos das pessoas.

Deveria subir no palco tantas vezes quantas fossem necessárias. Ao enxergar isso, mergulhou dentro de si, olhou para todas as tentativas frustradas de mudar sua vida e começou a achar que era quase impossível vencer seu mau humor, suas lamentações, sua ansiedade, impaciência, irritabilidade.

Você aconselhou muitas pessoas a deixarem de ser frágeis, a pararem de olhar para os próprios pés, a levantarem a cabeça, fixarem os olhos no horizonte, mas agora não conseguia ouvir sua própria voz. Tinha dito para a platéia que batera na porta da vida e proclamara que não tinha medo de vivê-la, mas agora se sentia inseguro, paralisado.

Essa história revelou que você vivera a mais dramática solidão: a de ter esquecido de si mesmo na sua trajetória existencial. Cuidou de muitos, mas não de si. Esqueceu-se de garimpar ouro nos solos da sua psique, um lugar onde dinheiro não vale nada e a sabedoria vale muito... Empobreceu, tornou-se triste e ansioso. Chorou...

*I*nfelizmente a história que contei representa uma parte da biografia de cada um de nós. Não ficamos atentos para corrigir as pequenas mudanças que corroem nossa qualidade de vida. Só descobrimos nossas derrotas depois das grandes perdas. Por fim descobrimos:

Ser espectador gerou um falso conforto. Ser platéia produziu uma aparente proteção. Fomos controlados por nossos problemas. Perdemos as coisas que mais amávamos, inclusive dentro de nós. A vida deixou de ser simples, gostosa, suave. O que fazer? Precisamos resgatar o amor pela vida, o amor mais excelente... ***Você é apaixonado pela vida?***

O que você faria se estivesse nesse teatro?

Ficaria na platéia? Entraria no palco? Seria um figurante tentando uma oportunidade para aparecer? Faria um papel de importância? Seria um ator coadjuvante? Ou entraria no palco e proclamaria: *"Esta é a minha vida! Eu não abro mão de ser o ator principal!"*

A humanidade gerou imensas platéias e poucos atores principais. Por isso, guerras foram deflagradas, sofrimentos perpetrados. Precisamos procurar responder a certas perguntas. Por que é mais fácil estar na platéia? Por que permitimos que o medo nos encarcere, as idéias negativas nos aprisionem e as emoções tensas bloqueiem a nossa inteligência?

*P*or que líderes empresariais que dirigem milhares de funcionários são às vezes frágeis líderes de si mesmos, a tal ponto que uma frustração gera neles uma ansiedade explosiva? Por que alguns intelectuais brilham quando tratam de assuntos lógicos, mas perdem a lucidez quando contrariados?

Por que educadores experientes não conseguem educar a própria emoção e submetê-la ao domínio da sua vontade? Por que pais maduros às vezes falham drasticamente, têm reações impulsivas e ferem quem mais amam? Por que jovens que batem no peito dizendo que são livres são na realidade escravos das suas ansiedades e conflitos?

A partir de agora tentarei responder a essas perguntas. Quero começar afirmando que a maioria das pessoas que não têm doenças psíquicas clássicas, como depressão e fobias, também não foi treinada para gerenciar os pensamentos, administrar as emoções, virar a mesa em seu inconsciente.

Você fez esse treinamento? Uma das grandes causas da falha da educação em realizar esse treinamento é que a psicologia estudou pouco como o próprio *eu* se forma, como se constroem os pensamentos e quais os papéis da memória na formação da personalidade.

Convido-os, agora, a penetrar no admirável funcionamento da mente!

CAPÍTULO 6

◯

COMPREENDENDO O TEATRO DA MENTE HUMANA

O maior líder é aquele que reconhece sua pequenez, extrai força da sua humildade e experiência da sua fragilidade...

*I*nteligência Multifocal é a teoria que desenvolvi durante mais de vinte anos sobre o funcionamento da mente e que tem sido estudada por vários cientistas e usada em vários países em teses acadêmicas. Ela traz luz a vários pontos obscuros da nossa inteligência. Por exemplo: *a construção de pensamentos é multifocal.*

Isso significa que, ao contrário do que a ciência pensou durante séculos, não é apenas o *eu* que constrói cadeias de pensamentos. Vimos que pensar é inevitável, pois há três outros fenômenos inconscientes que lêem a memória e produzem milhares de pensamentos. São eles: *o Gatilho da Memória, a Janela da Memória e o Autofluxo.*

A teoria da Inteligência Multifocal demonstra que somos mais complexos do que a psicologia e a psiquiatria têm pensado até hoje. Você não acharia um absurdo se visse um carro andando sem um motorista, apenas com um passageiro no banco de trás? Isso ocorre na mente humana.

Se o *eu*, que representa nossa capacidade consciente de decidir, não dirigir o veículo da nossa mente, ele será dirigido pelos fenômenos inconscientes do gatilho da memória, da janela da memória e do autofluxo. Esses três fenômenos são três atores coadjuvantes do teatro da mente. Eles produzem tanto os pensamentos belíssimos quanto os perturbadores, tanto as alegrias quanto as misérias afetivas.

𝓗á pessoas que sofrem muito com idéias obsessivas. Têm mania de limpeza, perfeccionismo, contar e recontar coisas, repetição de hábitos, como apertar a pasta de dente sempre do mesmo modo. Algumas estão ótimas de saúde, mas pensam que estão com AIDS, que têm um câncer ou que vão enfartar. São cultas, mas escravas das suas idéias fixas.

Quem produz os pensamentos que detestamos? São os três fenômenos inconscientes que citei. Eles comandam o palco. Observe! Todos nós pensamos tolices, nos atormentamos com idéias absurdas, sofremos por antecipação. *Você governa seus pensamentos ou eles o dominam?*

Há pessoas que têm todos os motivos do mundo para serem alegres, mas são tristes. São boas pessoas, têm família maravilhosa, dinheiro, casa na praia, prestígio social, mas choram como crianças, sentem-se insatisfeitas, infelizes. Não têm psicose, nem traumas psíquicos importantes, mas os atores coadjuvantes da sua mente controlam o palco. *O eu tornou-se um mero espectador.*

Um grande industrial disse-me certa vez que tinha inveja dos funcionários do chão de fábrica, pois cantavam durante o trabalho, enquanto ele era um rico-miserável, pois sentia-se aprisionado por idéias perturbadoras, vivia ansioso e sem encanto pela vida.

Por que temos três atores coadjuvantes no teatro da nossa mente? Não poderia existir apenas o ator principal? Por que não temos pleno domínio de nós mesmos? Tais perguntas expressam o coração da psicologia e da filosofia. Vou dar aqui duas respostas.

Primeiro, sem os atores coadjuvantes, o teatro seria um monólogo e somente o ator principal atuaria: nossa espécie morreria de tédio, angústia e rotina. Haveria suicídio em massa. Por quê? Porque grande parte dos sonhos, inspirações, criatividade e idéias que nos distraem e animam é produzida pela leitura espontânea da memória feita por esses três atores, e não pelo *eu*.

Segundo, são os atores coadjuvantes que formam o ator principal no teatro da mente. Quantos pensamentos as crianças até os sete anos de idade produzem por ano? Milhões e milhões. Eles são constituídos de fantasias, distrações, imagens mentais, afetividade. Quem os produz? Não é o *eu*, pois a criança ainda não tem um *eu* formado, consciente, apto para criticar, decidir, escolher.

Quem os produz são os atores coadjuvantes. Por que os produz? Para satisfazer a emoção e alimentar a memória com informações e experiências e, conseqüentemente, preparar um alicerce para que o *eu* amadureça, tenha consciência e se torne pouco a pouco o ator principal.

O grande problema é que, se não houver treinamento e educação adequados para formar esse alicerce, o *eu* poderá ser um péssimo ator principal. Quando os atores coadjuvantes lerem a memória e construírem pensamentos perturbadores que geram ansiedade, humor depressivo e pânico, o *eu* não conseguirá entrar em cena, confrontá-los e virar a mesa.

Há pessoas imaturas de vinte, trinta, quarenta anos. São fortes quando as águas da emoção estão tranqüilas. Quando as ondas das falhas e sofrimentos as atingem, elas afundam como pedras.

*U*m alerta! Pelo fato de esses atores ou fenômenos psíquicos serem tão importantes para gerar o prazer e formar o *eu*, eles nunca terão um papel pequeno no teatro da mente. O que não podem é controlar o palco. Quem deseja uma liberdade sem limite perderá a própria liberdade, será aprisionado por esses atores.

Adquirimos diplomas para atuar no mundo de fora, mas somos frágeis para liderar o mundo psíquico. Temos tendência em ser gigantes no mundo profissional, mas meninos no território das emoções e dos pensamentos. Vamos entender melhor esses fenômenos.

CAPÍTULO 7

OS TRÊS ATORES COADJUVANTES DO TEATRO DA MENTE

Alguns viajaram pelo mundo todo, mas nunca tiveram coragem ou habilidade para viajar para dentro de si mesmos...

Quais as funções dos três fenômenos ou atores coadjuvantes da nossa mente? Farei uma síntese deles. Quem desejar se aprofundar, recomendo que leia meus outros livros, cujos títulos se encontram na página 128.

Gatilho da Memória

É o fenômeno que faz com que cada estímulo visual, sonoro ou psíquico seja interpretado imediatamente, em milésimos de segundo. As imagens das flores, pessoas, objetos são identificadas não pelo *eu,* mas pelo Gatilho da Memória. Temos milhões de imagens na memória, mas quando vemos a imagem externa de uma flor, por exemplo, o Gatilho é acionado, acerta o alvo e identifica a imagem. Sem esse fenômeno, o *eu* ficaria confuso.

Como o Gatilho da Memória pode nos prejudicar? Por exemplo, quando alguém vê uma pessoa que o feriu ou rejeitou, o Gatilho é detonado em frações de segundo, abre os arquivos que contêm as ações dessa pessoa, gerando raiva e ansiedade. Se o *eu* não retoma a liderança, ele vai imediatamente para a platéia.

Não somos gigantes. Apesar de o Gatilho ajudar muitíssimo nossa inteligência, diariamente ele nos envia para a platéia. Alguns jovens vão a cada dez minutos para a platéia: ninguém pode dizer-lhes "não" sem que se ofendam. ***Quem reclama, agride os outros e se ofende com facilidade é frágil.*** Deve retomar o palco.

Helena era uma jovem motivada e inteligente. Falava três línguas. Discutia suas idéias com os amigos de maneira segura e livre. Mas tinha um problema, não conseguia falar em público. Quando estava diante de uma platéia exterior, o Gatilho era pressionado na sua mente e abria um arquivo que continha o medo de falhar, de passar vexame.

O público levava Helena para a platéia interior. Ela ficava aprisionada. Teve de exercitar-se para deixar de ser uma pobre vítima do Gatilho. O resultado? Tornou-se livre. Não é possível brilharmos nas platéias exteriores se somos tímidos espectadores na platéia da nossa mente.

Autofluxo

*E*le produz a grande maioria dos pensamentos no teatro da nossa mente. Produz os pensamentos que nos distraem, nos animam, fazem sonhar. Como o Autofluxo faz isso? Através de milhares de leituras espontâneas da memória sem uma direção lógica.

Você não fica intrigado com certos pensamentos que produz? Pensamos em situações bizarras, em amigos da infância, no tempo. Esse ator coadjuvante nos faz viajar para o passado e para o futuro. Alguns viajam tanto no mundo das idéias que vivem distraídos, não ouvem quase nada do que as pessoas lhes dizem.

Como o fenômeno do Autofluxo, que traz graça e alegria para nossa vida, que nos ajuda a vencer o tédio e a angústia existencial, pode nos prejudicar? Ele nos prejudica porque não produz somente pensamentos e idéias saudáveis, mas também pensamentos atormentadores e estressantes.

Quando o Autofluxo lê áreas doentias da memória, produz emoções ansiosas, tímidas, culposas, nos faz sofrer por antecipação, resgata experiências dolorosas. Diariamente o Autofluxo nos anima e nos distrai, mas também nos envia para a platéia. Alguns são acorrentados pelas idéias negativas. Os pessimistas vivem um teatro de terror. O bom humor é um bálsamo.

Pensar é bom, mas pensar demais é um problema. Se o Autofluxo é superestimulado pelo excesso de atividades, informações e preocupações, gera a síndrome do pensamento acelerado (SPA). Quem tem SPA acorda cansado, sofre pelo amanhã, não se concentra, tem esquecimento e sintomas físicos. A SPA nos imobiliza na platéia. Milhões de pessoas a possuem.

Sem o fenômeno do Autofluxo, o *eu* não se formaria. Sem ele, nossa espécie teria depressão coletiva, morreria de tédio. Mas ele não pode ser o ator principal, embora teime em querer liderar nossa mente. *O eu deve gerenciar o fluxo dos pensamentos.*

*M*atheus era executivo de uma grande empresa. Era líder, não pelo cargo que ocupava, mas por sua qualidade como pessoa. Era otimista, motivava as pessoas e amava desafios. Criava oportunidades nas dificuldades. Sua empresa superava as crises e tinha altos índices de lucratividade. Matheus, porém, era infeliz.

Ele sabia investir milhões de dólares, mas não em sua qualidade de vida. Tornou-se uma máquina de trabalhar. Tinha uma intensa SPA, vivia cansado, ansioso, irritado, triste, sonolento e esquecido. Não era um líder interior. Para não falir sua emoção, teve de aprender a administrar seus pensamentos. Como?

Compreendendo o funcionamento da mente e usando as técnicas do próximo capítulo. Quando entendemos o que é o Gatilho da Memória e o fenômeno do Autofluxo, creio que percebemos que temos tendência a ficar na platéia da nossa mente. Isso acontece com todos, inclusive psiquiatras, psicólogos, cientistas, executivos.

A espécie humana, que é tão dominadora, foi em muitos momentos da sua história aprisionada no secreto do seu ser. As guerras, doenças psíquicas, violações dos direitos humanos, destruição do meio ambiente revelam nossa falta de autocontrole. Causamos desastres sociais e ambientais.

Comentarei agora o terceiro ator coadjuvante para entendermos melhor esse processo.

Janela da Memória

*E*ste é o terceiro fenômeno do teatro da nossa mente. A memória humana se abre por janelas. Cada janela possui um grupo de arquivos que contém milhares de informações agregadas. Temos milhões de janelas no córtex cerebral. Não acessamos arquivos inteiros, como nos computadores, mas as janelas.

Algumas janelas são belíssimas, geram prazer, coragem, respostas inteligentes. Outras são doentias, geram ansiedade, ódio, desmotivação. Precisamos entender que os atores coadjuvantes cooperam uns com os outros na saúde e na doença. Como? Deixe-me contar uma história.

Havia um promotor de justiça inteligente. Alguns o temiam. Enquanto atuava no fórum, era o ator principal, brilhava. Mas, de repente, pensava que tinha um câncer no cérebro. Imediatamente o Gatilho era acionado e abria a Janela da Memória que o fazia ter medo de sofrer, morrer, nunca mais ver os filhos.

Segundos depois, o Autofluxo começava a ler todas as informações dessa Janela, fazendo da sua mente um teatro de terror. Ele ia para o banheiro e chorava. Sabia que essas idéias eram falsas, mas, por estar na platéia, as vivia como reais. Você já sofreu por causa das suas idéias? Eu já sofri, mas as superei.

Às vezes brota em nós uma alegria sem motivo ou uma tristeza sem causa. Por quê? Porque durante o dia abrimos várias janelas da memória aleatórias. Já sentiu que parece que conhecemos um ambiente que nunca vimos? Por quê? Porque cruzamos a imagem presente com os milhões de imagens da nossa infância.

Alguns têm tristeza ao entardecer ou no domingo à tarde. Por quê? Porque abrem sutilmente as janelas da solidão e produzem pensamentos tristes e angústias.

Há muitos tipos de janelas doentias: fóbicas (geram fobia social, claustrofobia, etc.), obsessivas (geram idéias fixas), antecipatórias (preocupações com o futuro), da baixa auto-estima...

Janela Killer

Algumas janelas geram uma emoção com um volume de tensão intenso, contendo, por exemplo, medo, raiva, desespero, que são capazes de bloquear a abertura das demais janelas da memória, travando o raciocínio. São as janelas *killer*, que nos fazem reagir por instinto, como animais.

Todos temos janelas *killer* que nos fazem reagir sem pensar, ser impulsivos, ferir quem amamos. Alguns maridos dizem certas palavras que agridem suas esposas e vice-versa. Brigam por pequenas coisas. Onde brigam: no palco ou na platéia? Na platéia. Quem perde o controle é vítima das janelas *killer*.

Marcos tirava as melhores notas da sua universidade. Os alunos e professores o admiravam. Pensavam que seria um grande homem. Ninguém percebia, mas ele vivia na platéia. Era vítima das janelas *killer*, que geravam nele timidez, insegurança, medo da crítica. Após a faculdade, fracassou. Tinha muitos conhecimentos, mas não sabia trabalhar em equipe, enfrentar desafios, liderar pessoas.

Muitos excelentes alunos não têm grande sucesso. É necessário mais do que conhecimento objetivo para nos tirar da platéia e nos fazer ser livres e líderes. Espero que este livro ajude muitos a sair da platéia e brilhar no palco.

Muitos pais e filhos ferem uns aos outros. Por quê? Porque são vítimas dessas janelas mortíferas. As janelas *killer* contêm os arquivos dos nossos maiores traumas, perdas, frustrações. Elas são responsáveis pela maioria dos suicídios, homicídios, divórcios, fobias, depressão.

Uma recomendação. *Não corrija ou provoque as pessoas que estiverem tensas.* Espere a temperatura da emoção delas baixar. Assim, sairão das janelas *killer*, abrirão sua memória e terão respostas inteligentes. Também *respeite seus próprios limites.* Quando estiver irritado e ansioso, ame o silêncio. No primeiro minuto de tensão produzimos nossos maiores erros.

Os Bastidores da Mente

É o inconsciente. Não apenas sofremos quando estamos na platéia assistindo passivamente às nossas experiências doentias, como após deixarem o palco elas vão para os bastidores do teatro da mente, acumulando lixo no inconsciente. Deixe-me explicar.

Existe um fenômeno chamado RAM: registro automático na memória. Tudo que pensamos e sentimos é registrado automaticamente na memória pelo RAM, quer o desejemos ou não. Cuidado! Lembre-se do que um ator nos alertou: *sua emoção tornou-se uma lata de lixo*.

*V*eja se você tem as reações de quem está na platéia: 1- Reclamar freqüentemente; 2- Reagir sem pensar, 3- Ansiedade; 4- Baixa auto-estima; 5- Intolerância; 6- Dificuldade de enfrentar desafios; 7- Pensamento acelerado e controlador; 8- Emoção hipersensível e sem proteção; 9- Dificuldade de reconhecer erros e corrigir rotas; 10- Falta de autocontrole.

Se você tem de uma a duas atitudes, fica pouco tempo na platéia; de três a cinco atitudes, fica muito tempo na platéia; cinco ou mais atitudes, fica plantado na platéia. Há pessoas que optam por serem agressivas e maquinarem o mal. Mas a grande maioria deseja ser tranqüila, feliz, livre, líder. Vejamos agora as técnicas para sermos líderes em nossa mente.

CAPÍTULO 8

∞

TÉCNICAS PSICOLÓGICAS PARA SER LÍDER DE SI MESMO

Um ser humano rico procura ouro na sociedade, um ser humano sábio garimpa ouro nos solos do seu ser.

*N*este capítulo estudaremos ferramentas para resgatarmos a liderança do *eu*. Quem deseja tornar-se um ator principal da sua mente, desenvolver sua inteligência e conquistar saúde emocional e intelectual precisa prestar muita atenção e praticar as técnicas que comentarei. Elas deveriam ser ensinadas em todos os níveis escolares.

Há duas metas e duas técnicas que alicerçam nossa capacidade de gerenciar os pensamentos e emoções para sermos líderes no palco da mente. Metas: 1- Reeditar a memória; 2- Produzir janelas paralelas da memória. Técnicas: 1- DCD (duvidar, criticar, determinar); 2 - Mesa-redonda do *eu*.

Reeditar a Memória

*R*eeditar a memória é um dos processos de transformação da personalidade estudados pela teoria da Inteligência Multifocal. Não podemos deletar a memória, só reeditá-la ou reescrevê-la. Não temos ferramentas para apagar o passado registrado pelo fenômeno RAM, seja bom ou ruim. Só podemos reeditá-lo.

O que é reeditar ou reescrever a memória? Não é apagar os arquivos doentes, mas inserir novas experiências nas janelas da memória. É entrar no palco da mente e construir segurança onde existe o medo, lucidez onde existe estupidez, tranqüilidade onde existe ansiedade.

Pedro era um médico prestativo e hábil. Tratava de pacientes com maestria e segurança. Um dia teve um ataque de pânico. O Gatilho da Memória detonou e gerou uma janela *killer*. Pedro começou a ter medo de enfartar. O fenômeno do autofluxo alimentou-se dessa janela e produziu inúmeras idéias negativas. O fenômeno RAM registrou-as e expandiu o medo inicial.

Sua saúde estava ótima, mas a janela *killer* bloqueou seu raciocínio. Os ataques se repetiram. Viveu o cárcere do medo. Parou de trabalhar e ficou deprimido durante muitos anos. Mas saiu do caos. Libertou-se depois que usou a técnica do DCD para reeditar a memória.

Muitas pessoas calmas e seguras se tornam ansiosas e inseguras ao longo dos anos, pois vão acumulando nos bastidores da mente as suas frustrações, perdas e problemas psíquicos e sociais. Sem perceber, vão transformando as janelas saudáveis em doentias, e perdendo o sorriso. Seu prazer de viver vai sendo destruído.

Reeditar o filme do inconsciente (memória) é a primeira meta para quem quer deixar de ser algemado pelos atores coadjuvantes do teatro da mente e pelos traumas, conflitos, angústia, estresse. Alguns perpetuam terapias por anos porque não aprenderam a reeditar a memória. Como reeditá-la?

Técnica do DCD

A primeira técnica excelente que tenho usado para estimular o *eu* a sair da platéia, entrar no palco, gerenciar os pensamentos e reeditar a memória é a DCD (duvidar, criticar, determinar).

Essa técnica envolve as três principais pérolas da Inteligência Multifocal: a *arte da dúvida* (pérola da filosofia), a *arte da crítica* (pérola da psicologia) e a *arte da determinação* (pérola da área de recursos humanos). Você não imagina a força que temos que fazer para sair da platéia quando usamos essas três artes. Deixamos de ser passivos, conformados e vítimas. Duvide, critique e determine!

Marcos era presidente de uma empresa, mas não presidia sua mente. Reagia como se todas as mulheres o traíssem. Casou-se e fez da sua relação um inferno. Criava idéias de que sua esposa o estava traindo. Torturava-a. Quando ela ameaçou separar-se, ele procurou tratamento.

Na terapia, começou a entender que era vítima do passado. Sua mãe havia traído seu pai. Aprendeu a sair da platéia, aplicou o DCD. Duvidou das suas idéias dramáticas e as criticou diariamente. Cada vez que uma idéia dessas surgia, dizia para si: *Essa idéia não tem fundamento! Não serei mais algemado por ela. Determino ser livre e reconstruir minha história.* Conseguiu resgatar a liderança do *eu*.

Não seja aprisionado pelos atores coadjuvantes. Duvide de tudo que eles produzem e que faz você ficar deprimido, ansioso, sem auto-estima. Critique seriamente cada pensamento negativo, cada idéia tola que o perturba, cada angústia, humor triste, medo, insegurança.

E, por fim, não peça compaixão para os atores coadjuvantes. *Entre no palco* e determine ser alegre, tranqüilo, conquistar o que mais ama, ser líder de si mesmo. As palestras de auto-ajuda pouco ajudam quando as pessoas não compreendem o funcionamento da mente. Não basta só determinar, é preciso antes duvidar e criticar para reeditar a memória.

Quando, no silêncio da nossa mente, "duvidamos, criticamos e determinamos" diversas vezes por dia ao longo de meses, construímos uma nova história. Produzimos prazeres, coragem, reflexões que são arquivados pelo fenômeno RAM nos bastidores da mente.

A técnica do DCD não apaga a memória, mas reedita e reescreve o inconsciente. Assim nos tornamos autores da nossa história. Após seis meses de prática dessa técnica, a qualidade de vida dá um salto, e nos tornamos mais alegres, simples, tranqüilos, seguros, autoconfiantes. Mas é possível reeditar todas as janelas da memória?

Não! Sempre ficam algumas janelas doentias na periferia do inconsciente, difíceis de serem reeditadas. Além disso, mês após mês produzimos novas janelas doentias, geradas pelas decepções, perdas, conflitos sociais. Não há gigantes. Sempre recaímos e voltamos para a platéia.

Mas qual é a grande diferença de quem atua como ator principal e faz a técnica do DCD? Essa pessoa se torna mais estável e madura: as dores lapidam a sabedoria, as falhas constroem a tolerância, as perdas geram novas conquistas, os fracassos nos tornam mais fortes. Os grandes líderes da história praticaram o DCD intuitivamente.

$\mathcal{T}$enho estudado a mente de grandes líderes da história, como Moisés, Maomé, Confúcio, Buda. Gostaria de destacar alguém que teve plena consciência de que deveríamos deixar de ser espectadores, que treinou seus discípulos constantemente para saírem da platéia e serem líderes. Seu nome é Jesus Cristo. Escrevi sobre ele uma coleção que analisa sua inteligência.

Entenda que não estou falando de religião, mas de uma pessoa fascinante, famosíssima, e tão pouco conhecida no teatro da sua mente. Jesus Cristo nunca deixou o palco, extraiu força da fragilidade, alegria da dor, sabedoria das calúnias. Foi feliz na terra de infelizes.

Fomos treinados desde a infância a sermos tímidos, frágeis, inseguros, diante das nossas misérias psíquicas. Já notou que quando algum tipo de medo nos abate, em vez de duvidarmos dele, nós o aceitamos passivamente? Já percebeu que agredimos os outros quando estamos estressados e ansiosos, em vez de criticar o estresse e ansiedade?

Quando se abre uma janela da memória doentia e produz emoção com alto volume de tensão, bloqueamos a leitura das janelas saudáveis, travamos a inteligência. Nos focos de tensão ferimos as pessoas e nos punimos. É justamente nos focos de tensão que precisamos fazer o DCD.

Se você deseja ser apaixonado pela sua vida, faça-lhe um grande favor: não seja mais tímido e passivo diante dos seus próprios ataques de raiva, irritabilidade, de seus pensamentos negativos. Peça desculpa se errou. Não brigue com os outros, não os culpe, não discuta. Nossa luta real é interior e silenciosa: no anfiteatro da nossa mente.

Os monstros que os atores coadjuvantes encenam no palco – seja o medo, a impaciência, a intolerância, as preocupações – são menores do que você imagina. Mas, se não atuarmos, eles se acumularão no inconsciente e poderão destruir nossos sonhos, nossa paz, o prazer e o amor pela vida.

Janelas Paralelas da Memória

É a segunda meta que devemos ter para sermos atores principais. Construir janelas paralelas é criar na memória janelas saudáveis que têm interconexão com as janelas doentias do inconsciente. As janelas paralelas abrem-se imediatamente quando as janelas doentias são abertas, fortalecendo a liderança do eu.

Imagine uma pessoa que tem claustrofobia. No momento em que entra num elevador, abre-se uma janela *killer* que gera um medo dramático de que ele vá parar e o ar vá faltar. Mas se o paciente construiu janelas paralelas, elas se abrirão, criando condições para que ele tenha autocontrole.

Um dos maiores segredos para um ser humano deixar de ser vítima dos seus conflitos e se tornar livre para decidir seus próprios caminhos é criar janelas paralelas inteligentes. Algumas pessoas são quase imutáveis. Elas perpetuam por décadas sua teimosia, sua rigidez, sua ansiedade. Por quê?

Porque não reeditam seu inconsciente, nem constroem janelas paralelas. Estão algemadas na platéia. Você construiu várias janelas paralelas intuitivamente ao longo de sua vida, provavelmente sem perceber e sem saber como o fez. Por isso, superou certos fracassos, mágoas, rejeições, crises. Como criar janelas paralelas?

Mesa-Redonda do Eu

Essa técnica é excelente para criar janelas paralelas em pacientes que desejam superar transtornos psíquicos ou em pessoas que querem desenvolver seu potencial intelectual e expandir sua qualidade de vida.

Ela consiste numa reunião íntima conosco mesmos pelo menos duas vezes por semana durante quinze minutos, ou alguns minutos por dia, por exemplo, durante o banho. Paramos por alguns momentos com tudo, entramos dentro de nós mesmos e debatemos nossos problemas, dificuldades, crises, perdas. Discutimos e traçamos caminhos numa mesa-redonda silenciosa situada no palco da mente.

Bárbara era uma boa pessoa, mas sofria muito. Tinha muitas janelas doentias. Era hipersensível: pequenos problemas causavam-lhe grande impacto. Vivia a dor dos outros. Esperava muito deles e frustrava-se facilmente. Uma crítica estragava-lhe a semana. Não se protegia.

Fez terapias por mais de dez anos, mas tinha freqüentes crises depressivas. Em seu último tratamento, aprendeu a técnica da mesa-redonda do *eu*. Isolando-se durante cerca de quinze minutos, fez debates, questionamentos e críticas diárias contra suas características doentias. Em dois meses criou janelas paralelas. Plantou um jardim em sua memória. Deixou de ser vítima e tornou-se autora da sua história.

As psicoterapias analíticas objetivam o autoconhecimento com o fim de reeditar o inconsciente. As psicoterapias cognitivas atuam nos sintomas com o objetivo de criar janelas paralelas. Elas almejam tirar os pacientes da platéia e levá-los para o palco. Se os estimulassem a fazer a técnica DCD nos focos de tensão, e a mesa-redonda do *eu* fora dos focos de tensão, elas dariam um grande salto.

Todas as doenças psíquicas podem ser superadas. Se necessário, deve-se usar um antidepressivo ou tranqüilizante, com prescrição médica. Mas não devemos esquecer que o *eu* deve ser sempre o ator principal, e os medicamentos, o ator coadjuvante.

Muitos passam anos sem conversar consigo mesmos. Auto-isolam-se, se auto-abandonam. Conversam com o mundo, mas emudecem diante de si. Nossa espécie é contraditória. Ela é belíssima e complicadíssima. Desenvolvemos tecnologia para falar com o mundo externo, mas não sabemos dialogar com nosso mundo interior.

A maioria das pessoas passa décadas sem falar profundamente consigo mesmas. Os jovens sabem operar complexos computadores, mas não sabem criticar suas idéias, repensar sua história e discutir seus problemas. Que sociedade é essa que tem destruído a capacidade do ser humano de se interiorizar?

Parece loucura conversar sozinho, mas loucura mesmo é a ausência de autodiálogo. No livro *Dez leis para ser feliz* eu digo: *"Se o mundo nos abandona, a solidão é suportável; se nós mesmos nos abandonamos, é insuportável."* Como sermos autores da nossa história se não entramos no palco, escrevemos nossos textos e dirigimos a peça teatral da vida?

Milhões de jovens e adultos levarão suas misérias emocionais para o túmulo, sem saber que poderiam tê-las superado. Nunca entenderam que a mente é como um complexo teatro, que deveriam ter feito uma mesa-redonda em seu interior e deixar de ser vítimas do terrorismo dos pensamentos!

Recebi recentemente um e-mail de uma jovem. Disse-me que era ansiosa, depressiva, comia compulsivamente. Engordou quinze quilos em poucos meses. Sentia medo, nojo, raiva e vergonha de si mesma. Chorava muito. Tentou várias vezes o suicídio. Mas, ao ler meus livros, disse que se levantou e deixou de ser vítima dos seus conflitos.

Começou a treinar ser líder de si mesma. Emagreceu, voltou a estudar, sorrir, ser apaixonada pela vida. Agradeceu-me e disse com convicção: *"Descobri, com a leitura dos seus livros, que todos temos problemas, uns mais, outros menos, mas só não muda sua história quem está morto..."* Ela saiu da platéia e subiu para o palco.

Gostaria de enfatizar que os fenômenos ligados ao funcionamento da mente descritos neste livro representam temas novos e fundamentais na psiquiatria e psicologia. É uma grande luz no caos das sociedades modernas que se tornaram fábricas de pessoas ansiosas, estressadas e sem identidade.

Não há milagres para reeditar a memória e criar janelas paralelas. O processo não é mágico. Mas não desanime quando recair. Insista, eduque sua emoção, treine. Persevere, mesmo quando achar que não tem mais força. Se precisar chorar, chore, mas não desista quando tropeçar. Aos poucos você vai se surpreender.

CONSIDERAÇÕES FINAIS

Quem tem luz exterior caminha sem tropeçar, quem tem luz interior caminha sem medo de viver...

A lista de pessoas encantadoras que foram algemadas na platéia é enorme. Elas poderiam ter mudado suas histórias se conhecessem as técnicas que estudamos.

Crianças extrovertidas perderam para sempre sua segurança depois que sofreram traumas e perdas. Garotas brilhantes tiveram sua auto-estima dilacerada por não terem um corpo de acordo com o padrão doentio da mídia. São belas, mas não reconhecem isso. Estudantes inteligentes não conseguiram ter sucesso, porque falharam nas provas. Jovens sensíveis perderam o romantismo da vida depois de fracassarem em seus relacionamentos afetivos.

Adultos lúcidos e amáveis foram amordaçados pela timidez, sentiram-se diminuídos sem saber que nunca foram inferiores aos outros. Trabalhadores competentes foram bloqueados pelo medo de serem reprovados pelos colegas, não exteriorizaram seus pensamentos, não conseguiram debater suas idéias, nem trazer soluções.

Empresários admiráveis nunca mais se levantaram depois de atravessarem uma crise financeira. Sentiram vergonha e medo social. Executivos fascinantes deixaram de ser empreendedores depois que atravessaram o vale das derrotas. Não souberam construir força na fragilidade e oportunidade nos desafios.

*P*ais maravilhosos, por não saberem falar a linguagem da emoção, nunca disseram aos filhos as palavras mágicas: "eu te amo", "me perdoem", "deixem-me conhecê-los". Filhos magníficos, ao se sentirem feridos pelos pais, nunca mais dialogaram com eles, não descobriram seus sonhos, suas dores. Só os valorizaram depois que eles fecharam os olhos...

Professores fantásticos, por não compreenderem a construção da inteligência, fizeram da memória dos alunos um depósito de informações, deixaram de ser mestres da vida, não os ensinaram a ser líderes dos pensamentos, a educar sua emoção e a desenvolver a arte de pensar.

𝒫essoas maravilhosas foram e têm sido acorrentadas pelas suas angústias, aprisionadas pelas suas preocupações, controladas pela sua ansiedade, sufocadas pelo seu estresse, paralisadas por seus medos. Não aprenderam a resgatar a liderança do *eu* e a ser livres.

Permita-me enfatizar que a educação mundial está errada. Ela não nos prepara para atuarmos no território da psique. Apenas nos dá conselhos pouco eficientes. A falta de conhecimento sobre o teatro da mente humana é gritante. Por isso, apesar de vivermos em sociedades livres, há mais escravos hoje do que no passado. Só que o cárcere é interior.

O estado normal do ser humano tem sido estressado e ansioso, e o anormal, relaxado e tranqüilo. A educação e a psicologia preventivas precisam passar por uma revolução. Este livro vem ao encontro dessa urgente necessidade.

Se os pais e professores ensinarem os princípios deste livro às crianças e aos jovens, poderemos prevenir depressões, suicídios, estresse, ansiedade, fobias, timidez, dependência, crises nas relações sociais. Já pensou se jovens e adultos aprendessem a controlar o palco da sua mente?

Precisaríamos menos de psiquiatras e psicólogos clínicos. Teríamos mais poetas e menos doentes. Seríamos uma espécie feliz.

*M*as saiba que ser saudável não é estar sempre alegre e bem-humorado. Ser saudável é aprender a ter encanto pela vida, mesmo depois dos golpes e tristezas. Ser sábio não é deixar de falhar, nem de ter atitudes tolas. Ser sábio é reconhecer essas atitudes, utilizá-las, e deixar de ser submisso às misérias psíquicas.

Os mais fortes também têm seus momentos de fragilidade. As pessoas mais cultas passam por momentos de incoerência. O ser humano mais gentil também perde a paciência. A pessoa mais rígida e auto-suficiente derrama suas lágrimas, ainda que escondidas.

*E*m alguns momentos você irá ficar decepcionado consigo mesmo e com as pessoas que ama. Mas não reclame, pois não há pessoas perfeitas. Não só de sucessos vive o ser humano, mas da convicção de que *nas dificuldades podemos escrever os melhores textos das nossas vidas.*

Dialogue com as pessoas ao seu redor, surpreenda-as, descubra-as. Faça agradáveis mesas-redondas consigo mesmo. Revise suas rotas, refaça seus caminhos, gerencie seus pensamentos, administre sua emoção. Seja um amigo da arte da dúvida e um amante da arte da crítica. A vida é a obra-prima do Autor da existência. Trate-a como seu maior tesouro.